送给最亲爱的宝贝

图书在版编目（CIP）数据

袋鼠宝宝小羊羔／（英）金普顿文；（英）比尔肖图；任溶溶译．—长沙：湖南少年儿童出版社，2009.7（2016.7 重印）
（儿童心灵成长图画书系．暖暖心绘本）
ISBN 978-7-5358-4461-3
Ⅰ.袋…　Ⅱ.①金…②比…③任…　Ⅲ.图画故事—英国—现代　Ⅳ.I561.85

中国版本图书馆CIP数据核字（2009）第073596号

袋鼠宝宝小羊羔

策划编辑：周　霞　　**责任编辑**：周　霞
装帧设计：陈姗姗　　**质量总监**：郑　瑾
出版人：胡　坚
出版发行：湖南少年儿童出版社
地址：湖南长沙市晚报大道89号　**邮编**：410016
电话：0731-82196340（销售部）82196313（总编室）
传真：0731-82199308（销售部）82196330（综合管理部）
经销：新华书店
常年法律顾问：北京市长安律师事务所长沙分所　张晓军律师
印制：湖南天闻新华印务有限公司
开本：889mm×1194mm　1/16　　**印张**：2
版次：2009 年 7 月第 1 版
印次：2016 年 7 月第 24 次印刷
定价：10.00 元

The Lamb-A-Roo

Published by arrangement with Gullane Children’s Books,
185 Fleet Street, London EC4A 2HS through Sunshine Cultural Consulting Co.,Ltd

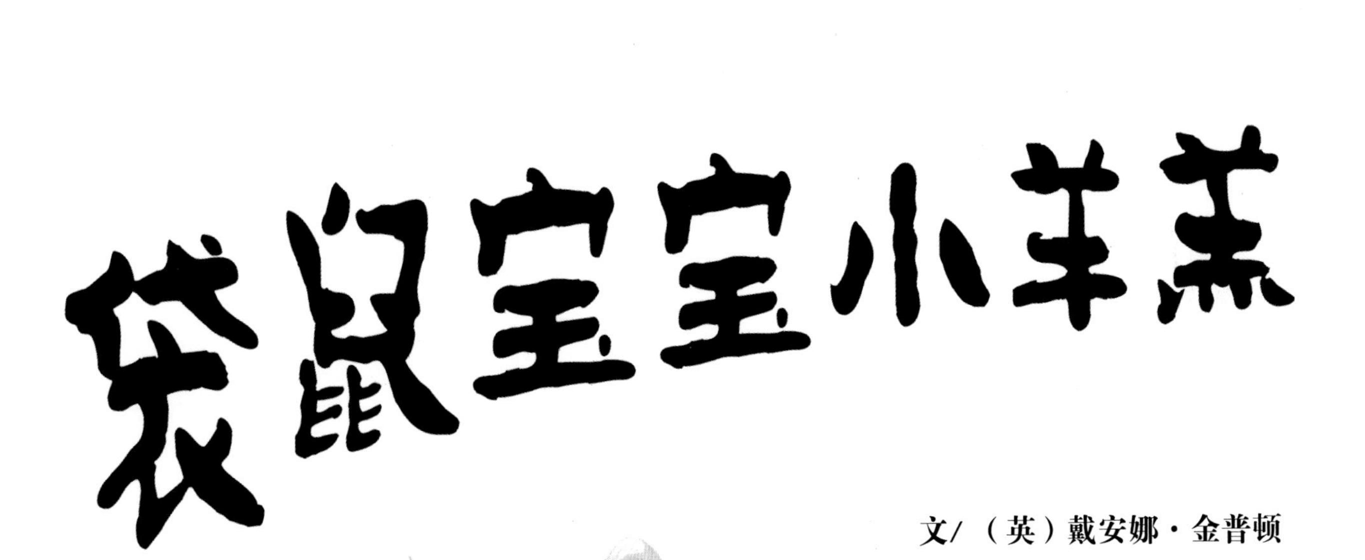

袋鼠宝宝小羊羔

文/（英）戴安娜·金普顿
图/（英）罗莎琳德·比尔肖
译/任溶溶

湖南少年儿童出版社
HUNAN JUVENILE & CHILDREN'S PUBLISHING HOUSE

在荒野当中有一只羊羔。

他非常小，非常伤心，孤零零的一只在这荒野上。

“妈妈”小羊羔说，“我要妈妈。”

离荒野当中不远有一只袋鼠。
她有许多朋友，有许多亲戚，吃的东西有的是。
可是她不快活。她没有一个小宝宝。她觉得非常伤心。
有一天，她一蹦一跳地离开她的亲戚朋友，
一路来到荒野当中，在这里她找到了……

……那小羊羔！

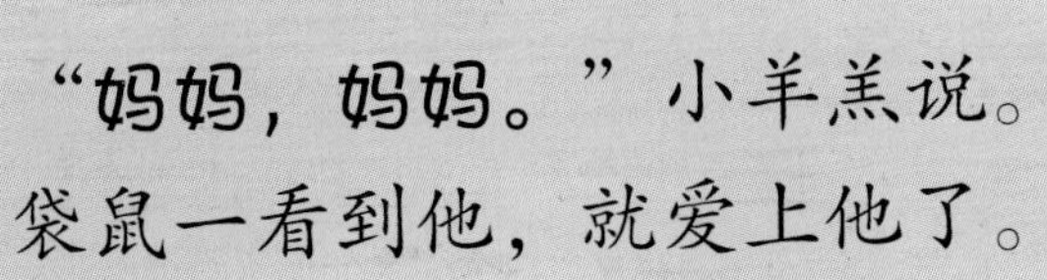

“妈妈，妈妈。”小羊羔说。

袋鼠一看到他，就爱上他了。

她把小羊羔放进她的袋袋，紧接着一蹦一跳地回去，
给大家看她这了不起的新宝宝。
小羊羔在她的袋袋里觉得很安全，
他不再是孤零零的了，他很快活。
他爱他的新妈妈，爱他所有的新亲戚朋友。

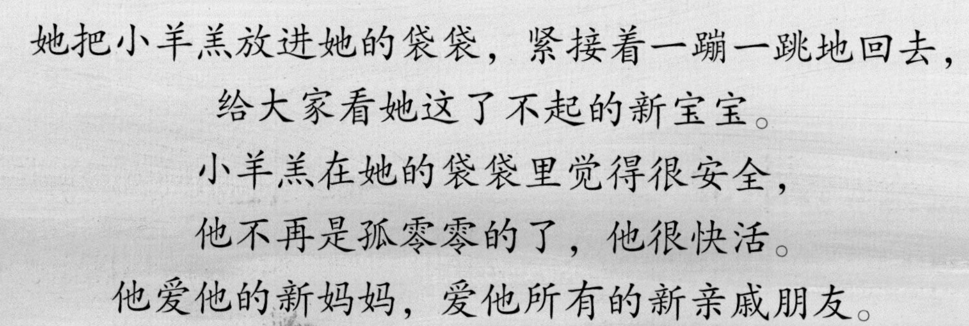

只有一件事让他发愁，

他和谁都不一样。

大伙儿的毛是棕色的，
很光滑，
可他是厚厚的一身
白色羊毛。

大伙儿
个个蹦得又高又远，
可他
只能小跳跳。

小羊羔于是每天练习跳。

他用前脚跳。

他用后脚跳。

他用四只脚一起跳。可是练来练去，跳起来还是那么一点儿高。

也许因为我的后腿太短小了，
小羊羔这么想，于是想把它们弄长。

他把两条后腿又是拉又是扯。

他甚至钩着树枝，把自己倒挂着，想把两条后腿给抻长。
可它们还是老样子。

有一天，在离荒野当中不远处，
小羊羔他们发现了一间旧屋。它空空的。
人都走了，屋里没人住。

小羊羔就去打探。
他看到大屋旁边还有一间小屋。

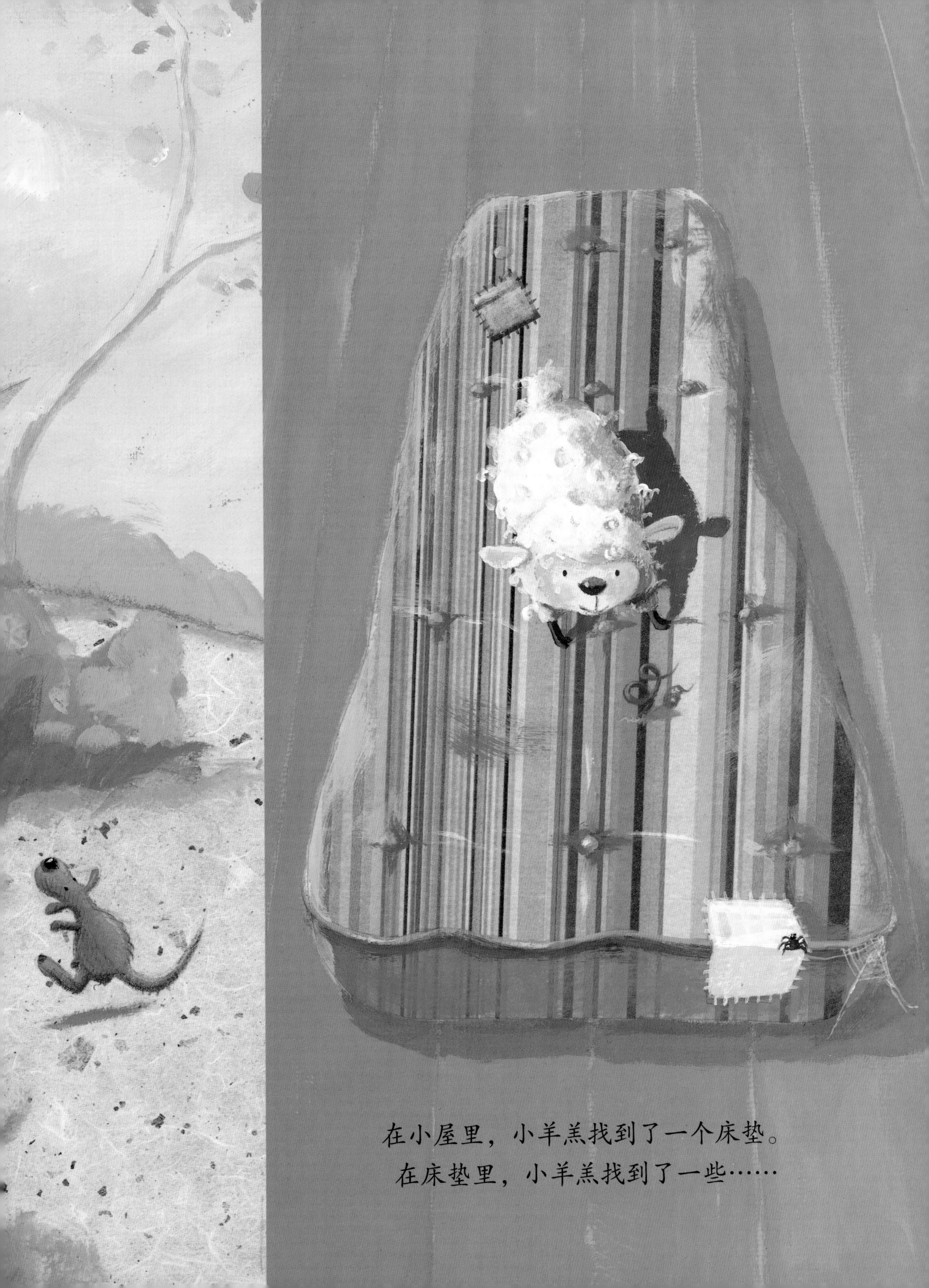

在小屋里，小羊羔找到了一个床垫。
在床垫里，小羊羔找到了一些……

……弹簧！

小羊羔
有了一个主意。
他一只脚
套上一个弹簧，
试试看
跳起来。

“好啊！”他大叫。他想的办法成功了！
他可以蹦得老高。

蹦！

他从小屋蹦跳着出来。

蹦！蹦！

他一跳就跳过了围墙。

蹦！蹦！蹦！

他一蹦一跳地跳过了院子。

他只顾着跳，
没注意到他的妈妈在看他。

“你看我，你看我！”他叫道，
“我能够和你一样跳了。”
他的妈妈从大屋里跳着出来，
身上披着一条旧羊毛毯子。

“你看我，你看我！”
妈妈叫道，
“我一身羊毛，
和你一模一样。”

小羊羔不跳了，停下来看他的妈妈。他觉得很难过。
他看不到妈妈的双臂。他看不到妈妈棕色的毛。
最糟糕的是，他看不到妈妈那温暖舒适、让他觉得安全的袋袋。

“你再不像我的妈妈了。”
他叫道。

“你也不像我的小羊羔了。”
他的妈妈叫道。

小羊羔低下头看，
看到妈妈说得没错。
弹簧又大又弯弯曲曲，
头上是尖尖的。
脚上套着它们，
他根本没有办法
进妈妈那个袋袋。

小羊羔马上脱掉他脚上的弹簧！
他的妈妈也马上扔掉身上的羊毛毯子！
于是，他们又恢复了他们原来的样子。

小羊羔快快活活地跳回他妈妈的袋袋里。
他第一次根本不在乎自己和大家不一样。
他不再在乎自己有一身厚厚的羊毛。
他不再在乎自己还跳不高也跳不远。
只有一件事情让他无比快活，那就是

他是天下独一无二的

袋鼠宝宝小羊羔！

母爱的力量

母爱是世界上最伟大的一种情感。在成长的过程中，母亲总是给予我们无微不至的关怀和爱护。母亲始终包容着我们，甚至有时候还会为我们做出牺牲。母爱是无私的，它可以给予我们最大的支持，可以让我们战胜许多的困难。尽管彼此之间会有不同，但是母亲给予我们的爱却拥有超越一切的力量。就像故事里的小羊羔，虽然他与袋鼠妈妈有很多地方不一样，可是，他依然可以成为世界上最幸福的袋鼠宝宝小羊羔!

想一想

1. 小羊羔跟他的袋鼠亲戚有哪些不一样?
2. 小羊羔都想了哪些办法来使自己跟他的亲戚们变得一样?
3. 袋鼠妈妈想了什么办法让自己变得跟小羊羔一样?
4. 改变之后的袋鼠妈妈和小羊羔真的开心吗? 为什么?

试一试

请你试着做一件事情，让妈妈感受到你对她的爱。

 暖暖心绘本 

第一辑

第二辑

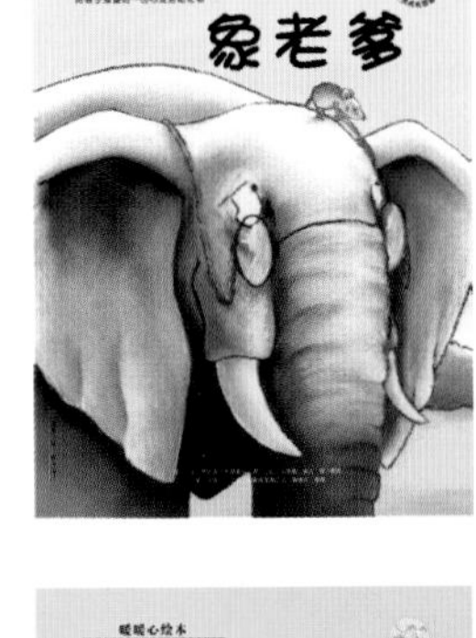

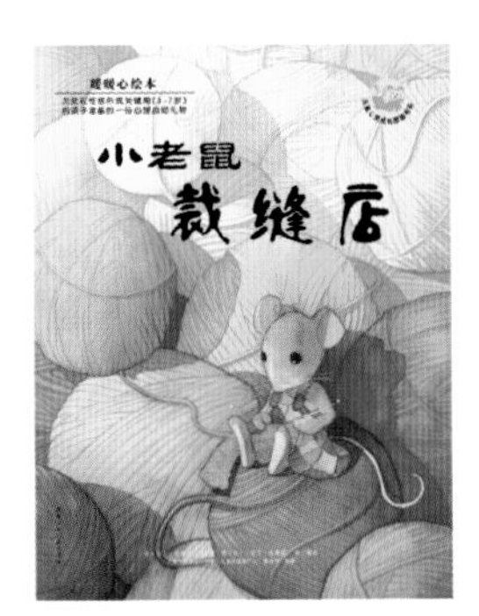

第三辑